À Gwenaëlle, qui partage ma passion pour ce métier,
À nos enfants, Arzhel, Daé et Tenzor.

BEST *of* ALAIN DUCASSE

ALAIN DUCASSE
ÉDITION

ALAIN DUCASSE

Quels sont les cuisiniers qui vous ont le plus appris ?

J'ai claqué la porte du lycée hôtelier de Talence avant même de passer mon CAP : ça n'allait pas assez vite à mon goût ! Je suis allé frapper à la porte de Michel Guérard, déjà chef-star du Sud-Ouest, qui m'a pris comme apprenti. C'est grâce à lui que j'ai rencontré Gaston Lenôtre auprès de qui j'ai pu me former à l'art du sucré à plusieurs reprises. Au bout de deux ans, j'ai rejoint Roger Vergé qui m'a initié à la cuisine provençale saine, naturelle et authentique au Moulin de Mougins, sur la Côte d'Azur. À ses côtés, j'ai compris ce que la cuisine gagnait au contact de la simplicité : beaucoup. Mais c'est Alain Chapel à Mionnay, où je suis arrivé en 1978, qui m'a le plus influencé. Il a été le premier à mettre autant l'accent sur le produit, à révéler la vérité de leur saisonnalité. Pas de surcuisson, d'apprêts superflus ! Rigueur, goût et excellence étaient les maîtres-mots de cette cuisine ultra-contemporaine qui m'a marqué.

Comment êtes-vous arrivé au Louis XV à Monaco ?

En 1986, j'étais chef de « La Terrasse » à Juan-les-Pins, où j'avais obtenu 2 étoiles. La Société des Bains de Mer m'a alors proposé de prendre la direction des cuisines de l'ensemble des restaurants de l'Hôtel de Paris, avec en particulier la mission de créer le restaurant gastronomique le Louis XV et d'obtenir 3 étoiles en 4 ans maximum. Je vous laisse imaginer le challenge. J'ai embarqué Franck Cerruti avec moi dans l'aventure, et nous avons fait rentrer la cuisine bourgeoise de la Méditerranée sous les ors du palace. J'y ai voulu une cuisine populaire traitée avec les égards que l'on réserve d'habitude aux produits traditionnellement nobles. La cocotte de légumes au lard, les fruits simplement rôtis, c'était à l'époque pour les grands-mères, mais pas encore pour les grands restaurants. La cuisine paysanne, qui respectait les saisons et utilisait avant tout des produits locaux, était celle qui me parlait.

Comment gérer plus de 20 établissements dans 8 pays en étant un chef à distance ?

Pour l'expliquer, il faut revenir en 1984. J'étais à bord d'un avion qui s'est écrasé dans les Alpes et, pendant un an, je n'ai pas su si j'allais pouvoir remarcher. Ce que j'ai retenu de cette période de ma vie ? Que la seule chose importante est la possibilité de s'assumer intellectuellement. L'incapacité physique due à cet accident m'a obligé à imaginer une autre façon de cuisiner, de manager à distance. On peut très bien diriger une cuisine sans y être tous les jours mais, pour cela, il faut déléguer, faire confiance et, surtout, former. La transmission est donc une valeur essentielle pour moi. Je choisis des collaborateurs qualifiés, motivés, portés par la même passion et les mêmes valeurs que moi, et je leur transmets techniques et savoir-faire. C'est un gage d'autonomie et cela nous permet de faire de la bonne cuisine. Pour assurer cette formation au-delà de mes restaurants, j'ai créé deux écoles, l'une pour la cuisine, l'autre pour la pâtisserie, ainsi que des partenariats avec des écoles à l'étranger.

Comment définiriez-vous votre style de cuisine ?

Mon terroir mental, c'est la réunion du Sud-Ouest d'où je viens et de la Méditerranée qui m'a séduit très tôt – pour preuve, la Bastide de Moustiers, qui occupe une place bien particulière pour moi. J'aime les choses simples, mais parfaites : un, deux, voire trois goûts maximum. Ainsi, c'est avec des pommes de terre au lard que l'on a inauguré le restaurant Alain Ducasse avenue Raymond Poincaré à Paris. Une apparente facilité qui n'exclut pas beaucoup de travail pour atteindre la perfection ! D'un autre côté, je suis très curieux. Mes racines me soutiennent, mais ne doivent pas m'embarrasser et m'empêcher d'aller de l'avant. Je voyage beaucoup, à l'affût de nouvelles découvertes. Et où que j'aille, ce qui compte pour moi, c'est la vérité du produit. Car chaque bon produit, cultivé avec amour et respect, sur son terroir, a un goût inégalable. Sans cela, le cuisinier

EN QUELQUES DATES

13 septembre 1956
|
Naissance à Castel-Sarrazin dans les Landes.

1990
|
Obtention des 3 étoiles au Louis XV à Monaco

2000
|
Alain Ducasse au Plaza Athénée

n'est rien ! Il faut repartir du tout début, à l'essentiel, là où sont les goûts vrais, et les laisser s'exprimer avec force et subtilité.

Comment évolue votre cuisine ?

J'ai toujours prôné une cuisine saine et nature, une alimentation durable dans laquelle les fruits et les légumes sont mis en avant. Pour preuve, le menu tout légumes proposé au Louis XV depuis 25 ans. Mais ce qui est relativement nouveau, c'est la prise de conscience de la fragilité des ressources de la planète et l'importance de les respecter et de les ménager. Le cuisinier doit être à l'écoute du monde qui l'entoure, il doit trouver des producteurs, chasseurs, pêcheurs qui partagent ces valeurs et respectent biodiversité et éthique. Les comportements alimentaires évoluent. Les plats se sont allégés et nous mangeons différemment de nos grands-parents, comme nous mangerons différemment dans vingt ans.

Votre philosophie de la vie ?

Toujours surmonter les obstacles et dépasser mes propres limites pour avancer.

PORTRAIT GOURMAND

1/ LE PRODUIT ET L'USTENSILE SANS LESQUELS VOUS NE POUVEZ CUISINER
Huile d'olive et cookpot.

2/ VOTRE BOISSON DE PRÉDILECTION
Le Lillet, et en particulier le Lillet blanc.

3/ LE LIVRE DE CUISINE QUI VOUS EST INDISPENSABLE ?
Le Grand Livre de Cuisine Alain Ducasse, le premier volume de mon encyclopédie paru en 2001.

4/ VOS PÉCHÉS MIGNONS
Le hot-dog à Manhattan.

5/ SI VOUS N'AVIEZ PAS ÉTÉ CUISINIER, VOUS AURIEZ AIMÉ ÊTRE…
Architecte ou voyageur. Mais aujourd'hui, je fais ces trois métiers en même temps !

6/ VOTRE COLLECTION
Des malles de voyage.

7/ VOTRE DEVISE
Plus, plus vite et mieux.

2005
|
Premier chef à obtenir 3 fois 3 étoiles au guide Michelin pour ses restaurants de Paris, Monaco et New-York.

2011
|
Lancement du projet « Femmes en avenir » qui accompagne des femmes en situation d'exclusion vers l'emploi dans la restauration.

SOMMAIRE

SOM
MAI
RE

ROUGET DE ROCHE
POMME NOUVELLE, FLEUR ET RUBAN DE COURGETTE, TAPENADE

48

LANGOUSTINES
ROYALES RÔTIES, LÉGUMES CROQUANTS

56

POITRINE
DE PIGEONNEAU GRILLÉE, POMMES DE TERRE AU THYM, SAUCE SALMIS

64

CÔTE DE VEAU DE LAIT
JEUNES LÉGUMES FONDANTS À L'AIL NOUVEAU

72

BABA
AU RHUM

80

FRAISES DES BOIS
DANS UN JUS TIÈDE, SORBET MASCARPONE

88

FOIE GRAS
DE CANARD CONFIT
DANS SA GRAISSE

La cuisine est faite de souvenirs. Mon parcours culinaire a commencé en Chalosse, dans la ferme où je suis né et où j'ai grandi. De ces primes années, je garde la mémoire d'odeurs et de saveurs. Ce sont des souvenirs intenses qui m'accompagnent et qui ne s'effaceront jamais. Pour décider du menu, on partait dans le potager et on ramassait les légumes juste à point. Le lien avec les rythmes de la nature était fort et direct. Ce foie gras est un hommage à mes racines landaises.

RECETTE

POUR 6 PERSONNES - préparation 20 min 20 jours à l'avance - cuisson 30 min

NOTE DU SOMMELIER

Un vin blanc moelleux du Sud-Ouest, par exemple un Jurançon. Un vin rouge bordelais de la région des Graves.

- ☐ 1 lobe de foie gras cru
  d'environ 600 g
- ☐ 15 g de sel fin
- ☐ 3 g de poivre blanc moulu
- ☐ 2 g de sucre

- ☐ 4 cl de Cognac
- ☐ 2 l de graisse de canard
- ☐ Fleur de sel
- ☐ Poivre mignonnette

ACCOMPAGNEMENT

- ☐ Pain de campagne
- ☐ 12 figuettes séchées

Mélangez le sel fin, le poivre blanc et le sucre. Assaisonnez le foie gras de ce mélange en le répartissant de façon régulière.

Ajoutez le Cognac. Couvrez le récipient contenant le foie gras de film alimentaire. Laissez reposer 1 nuit au réfrigérateur.

01

02

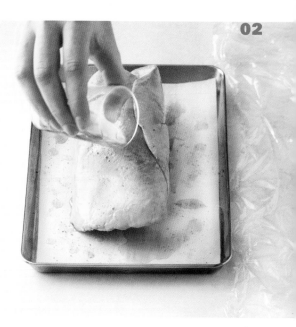

Sortez le foie gras 1 h avant la cuisson afin de le mettre à température ambiante. Faites chauffer la graisse de canard jusqu'à ce qu'elle atteigne 80 °C. Plongez-y le foie gras en veillant à ce que le côté bombé du foie soit tourné vers le fond de la casserole et faites cuire 15 min à 70 °C.

03

Ne lésinez pas sur le choix du foie gras cru : il doit être ferme au toucher et sans taches rouges.

Il faut démarrer la cuisson à 80 °C car le foie gras fait baisser la température à 70 °C.

Retournez le foie gras. Laissez cuire encore 15 min toujours à 70 °C. Le foie gras doit atteindre 40 °C à cœur : utilisez une sonde pour vérifier la température du foie.

Déposez le foie gras sur une grille. Couvrez d'un film alimentaire. Réservez* la graisse de cuisson à température ambiante et laissez le foie gras reposer et refroidir 2 h environ.

À défaut de Cognac, vous pouvez utiliser pour cette recette du Porto, du Madère ou de l'Armagnac.

Déposez ensuite le foie gras sur du film alimentaire. Enveloppez-le en serrant légèrement pour lui donner une jolie forme. Piquez le film à l'aide d'une aiguille afin de chasser les bulles d'air. Posez le foie gras entouré de film au fond d'une terrine.

06

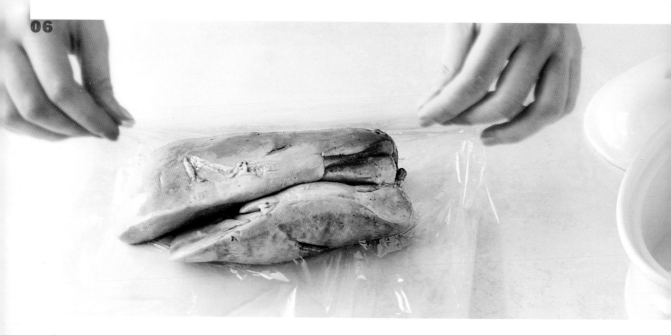

Recouvrez-le entièrement de graisse liquide et laissez confire la terrine au réfrigérateur pendant au moins 20 jours.

07

La graisse de canard s'achète toute prête. Surtout, ne jetez pas la graisse froide qui entoure le foie gras ! Elle sera parfaite pour cuire des pommes de terre, des champignons ou un filet de bœuf...

Démoulez le foie : trempez la terrine aux trois quarts dans de l'eau chaude et passez un couteau le long des parois. À l'aide du couteau, ôtez délicatement la graisse froide en prenant soin de ne pas abîmer le foie gras.

Faites chauffer la lame du couteau sous un filet d'eau chaude et coupez le foie gras en tranches de 1,5 cm d'épaisseur. Servez les tranches de foie gras parsemées de fleur de sel et de poivre mignonnette avec du pain de campagne grillé et des figuettes séchées coupées en deux.

Grâce à ce mode de préparation, il n'est pas nécessaire de déveiner le foie gras ! Les 20 jours passés en terrine au froid permettent aux veines de « fondre ».

La température idéale de dégustation de ce foie gras est 12 °C.

LÉGUMES DE NOS JARDINS
MIJOTÉS À LA TRUFFE NOIRE

La cuisine exige le respect du produit. Je le dis sans forfanterie : il fallait du courage pour servir cette recette au Louis XV en 1987. Beaucoup ont considéré ce plat, trop humble à leurs yeux, comme une provocation. Pour moi, tout ce qui exalte le génie du produit fait de la belle cuisine alors que tout ce qui le travestit l'abaisse. Le cuisinier doit rester modeste devant les beaux produits. Et puis, mettre à l'honneur les légumes, c'est aussi prendre en compte les soucis de forme et de santé de notre époque.

RECETTE

Pour 4 personnes - Préparation 35 min - Cuisson 30 min

Note du sommelier

Un vin blanc de sud de la Vallée du Rhône, par exemple un Châteauneuf-du-Pape ou bien un vin rouge provenant des Côtes de Provence.

- ❏ 12 radis cerise
- ❏ 8 carottes fanes
- ❏ 8 fenouils fanes
- ❏ 8 navets longs fanes
- ❏ 4 courgettes fleurs
- ❏ 200g de haricots verts
- ❏ 200g de petits pois
- ❏ 200g de févettes

- ❏ 8 cébettes
- ❏ 12 asperges vertes
- ❏ 4 artichauts poivrade
- ❏ 20cl d'huile d'olive pour cuisson
- ❏ 20g de gros sel
- ❏ 1l de fond blanc de volaille
- ❏ 40g de truffe noire

- ❏ 8cl de jus de truffe
- ❏ 20g de beurre
- ❏ 5cl de vinaigre de barolo
- ❏ 6cl d'huile d'olive mûre
- ❏ Acide ascorbique
- ❏ Fleur de sel

Préparation des légumes

Lavez tous les légumes à l'eau avant de les travailler.

Préparez les radis cerise : retirez les petites feuilles et gardez la fane, mettez-les dans un bain d'eau glacée. Tournez* les carottes en gardant la fane, puis mettez-les dans un bain d'eau glacée.

Retirez la première feuille des fenouils, puis taillez les branches afin de les égaliser. Tournez les navets en gardant la fane et mettez-les dans un bain d'eau glacée. Retirez les pistils des fleurs de courgette, puis refermez-les sur elles-mêmes et réservez-les* au frais.

Les temps de cuisson des légumes dépendent de leur grosseur : vérifiez la cuisson à l'aide d'un couteau d'office, il faut qu'ils soient fondants.

Équeutez les haricots verts en gardant leurs pointes, taillez-les en tronçon de 3 cm. Écossez les petits pois et les févettes, puis calibrez-les par taille. Ébarbez* les cébettes et taillez la tige. Écussonnez* les asperges, récupérez les pointes. Épluchez et tournez* les artichauts, coupez-les en deux. Réservez les artichauts dans un bain d'eau glacée additionnée d'un peu d'acide ascorbique et mettez tous les autres légumes dans de l'eau glacée.

Cuisson des légumes verts

Faites cuire les haricots verts et les cebettes à l'anglaise* : il faut qu'ils soient encore fermes. Placez-les dans de l'eau glacée, puis réservez-les au frais.

Tous les autres légumes doivent être cuits séparément, procédez de la même manière pour chaque légume : mettez un sautoir* à chauffer avec un trait d'huile d'olive, puis faites revenir* les légumes sans les colorer. Mouillez à mi-hauteur des légumes avec le fond blanc et faites-les cuire à couvert.

05

Vérifiez à l'aide de la pointe d'un couteau d'office que les légumes sont cuits. Débarrassez-les avec leur jus de cuisson dans un plat et mettez à refroidir rapidement en le cinglant*.

06

Tremper les légumes dans de l'eau glacée permet de stopper leur cuisson et leur fixer la couleur.

Écrasez 40 g de truffe noire à la fourchette. Utilisez un sautoir assez grand pour que les légumes ne s'abîment pas entre eux.

Ajoutez les jus de cuisson, l'huile d'olive mûre, le jus de truffe et la truffe noire écrasée. Faites chauffer à feu doux pour réchauffer les légumes, ajoutez les petits pois et les févettes, finissez en les glaçant* et ajoutez les légumes verts.

07

Dressez les légumes dans une assiette creuse.

Récupérez le jus des légumes, ajoutez une noisette de beurre et le vinaigre de barolo.

Rectifiez l'assaisonnement si besoin et saucez.

08

Vous pouvez râper de la truffe sur les légumes au dernier moment.

COOKPOT DE LÉGUMES ET FRUITS D'AUTOMNE

La cuisine est en perpétuelle recherche, et j'essaie, comme elle, de me placer dans cette quête qui part de l'enfance et se poursuit aujourd'hui dans mon métier de cuisinier. Je voulais créer depuis longtemps un plat qui soit ma signature, l'expression symbolique, presque philosophique, de ma cuisine et qui en raconte l'origine. Il ne pouvait s'agir que d'un plat de légumes. Les légumes que j'aime tant, si présents dans ma cuisine depuis plus de vingt ans. Ils constituent véritablement le lien fort qui relie mon histoire à la multiplicité sensorielle de mes restaurants. La Cookpot est avant tout une histoire, de cuisine bien sûr, mais aussi d'harmonie entre la forme et le contenu.

RECETTE

Pour 1 grande cookpot - Préparation 35 min - Cuisson 45 min

Note du sommelier

Un vin blanc sec de la Loire issu du cépage chenin,
par exemple un Vouvray.

- ☐ 80g de betterave jaune chioggia
- ☐ 80g de betterave rouge chioggia
- ☐ 1 grosse carotte fane de 120g
- ☐ 80g de céleri-rave
- ☐ 80g de potiron

- ☐ 80g de radis noir
- ☐ 5cl d'huile d'olive mûre pour assaisonnement
- ☐ Fleur de sel
- ☐ 10cl de fond blanc
- ☐ 30g de beurre
- ☐ Poivre noir du moulin

MATIGNON

- ☐ 150g de cèpes
- ☐ 1 oignon blanc
- ☐ 50g de pomme rouge
- ☐ 30g de poire martin sec
- ☐ 50g de fenouil bulbe
- ☐ 50g de châtaignes cuites

- ☐ 5cl d'huile d'olive pour cuisson
- ☐ 20g de beurre
- ☐ 4g de sel gris fin
- ☐ 3g de graines de fenouil
- ☐ 5g de curry jaune en poudre

Préparation des légumes crus

Lavez tous les légumes avant de les travailler. Épluchez la carotte, fendez-la en deux, épluchez les betteraves, le céleri-rave et le potiron. Taillez les extrémités du radis, puis frottez la peau sous l'eau tiède. Taillez tous ces légumes en fines tranches de 2 mm d'épaisseur à l'aide d'une mandoline et réservez* sous un linge humide.

01

À l'aide d'un emporte-pièce, détaillez en cercles la carotte, les betteraves, le céleri-rave et le potiron et coupez-les en deux.
Détaillez les tranches de radis noir en demi-rondelles, et réservez tous les légumes sous un linge humide.

02

Utilisez les chutes de ces légumes pour réaliser un bouillon (voir p. 96)

Préparation de la matignon* de fruits et légumes
Taillez la partie terreuse des cèpes, puis réservez la tête et taillez les pieds en brunoise*.

Épluchez et ciselez* l'oignon blanc.
Lavez et taillez en brunoise régulière la pomme, la poire et le fenouil bulbe. Écrasez les châtaignes.

Faites chauffer une cocotte avec l'huile d'olive, puis faites-y suer* l'oignon ciselé à feu modéré.
Ajoutez la brunoise de fenouil et les châtaignes, saisissez* bien pour donner une légère coloration.
Ajoutez une noisette de beurre, puis salez et poivrez. Ajoutez le curry et faites revenir* entre 2 et 3 min.

À défaut de cèpes, vous pouvez utiliser des girolles ou des champignons de Paris.

Ajoutez la brunoise de pomme, de poire et de cèpes. Faites bien cuire cette matignon en la desséchant au maximum pendant environ 10 min à feu doux. Rectifiez l'assaisonnement et ajoutez les graines de fenouil, puis décantez* la cocotte et laissez refroidir à température ambiante.

06

Préchauffez le four à 160 °C (th. 5). Disposez la matignon au fond de la Cookpot, puis disposez par-dessus les divers demi-cercles de légumes en les alternant et en les faisant se chevaucher sur les deux tiers de leur surface. Versez 2 cl d'huile d'olive mûre, un peu de fleur de sel et un tour de moulin à poivre noir.

07

Les fruits et légumes de la matignon sont taillés en petits dés pour une cuisson régulière.

Ajoutez 5 cl de fond blanc, couvrez la Cookpot et enfournez. Retirez le couvercle au bout de 15 min et finissez la cuisson à découvert durant encore 10 min. Sortez la Cookpot du four et laissez-la à température ambiante 10 min avant de la servir.

Rapez les têtes des cèpes et parsemez sur la Cookpot. Montez* le fond blanc restant avec 3 cl d'huile d'olive et le beurre, puis servez à part.

Vous pouvez servir la Cookpot le lendemain, en la réchauffant quelques instants au four. Elle constitue un plat complet pour une personne ou un accompagnement pour deux personnes.

RISOTTO AUX CÈPES
DE HAUTE-LOZÈRE, JUS D'UN RÔTI

La cuisine est faite de rencontres. J'en ai fait beaucoup pendant mes années de formation, et qui ont été décisives : Michel Guérard, Roger Vergé, Gaston Lenôtre et surtout Alain Chapel. Plus tard Paul Bocuse et bien d'autres, célèbres ou anonymes, en France et ailleurs. Ma rencontre avec Franck Cerutti, ce Méditerranéen passionné, fait partie de celles qui comptent. Il revenait de Florence, tout imbibé de cuisine italienne, lorsqu'il est devenu mon second au Louis XV. La mise au point de ce risotto lui doit beaucoup.

RECETTE

POUR 4 PERSONNES - préparation 15 min - cuisson 1 h 10

NOTE DU SOMMELIER

Un vin rouge du bordelais, par exemple un Pomerol.

- ❏ 200 g de riz rond Arborio
- ❏ 5 cl d'huile d'olive pour cuisson
- ❏ 1 petit oignon blanc de 50 g
- ❏ 6 cl de vin blanc sec
- ❏ 1 l de fond blanc de volaille
- ❏ 60 g de parmesan Reggiano râpé

- ❏ 5 cl d'huile d'olive pour assaisonnement
- ❏ 30 g de beurre
- ❏ 10 cl de jus d'un rôti (voir p. 98)
- ❏ Fleur de sel

CÈPES CONFITS

- ❏ 12 cèpes bouchons de 50 g
- ❏ 500 g de graisse de canard

- ❏ 1 branche de thym
- ❏ 5 gousses d'ail
- ❏ 40 g de poitrine de porc séchée
- ❏ Poivre du moulin
- ❏ 20 g de beurre
- ❏ 5 cl d'huile d'olive pour assaisonnement

DENTELLES DE PARMESAN

- ❏ 100 g de parmesan Reggiano râpé
- ❏ 10 g de farine blanche

Préparation et cuisson des cèpes

Retirez la partie terreuse des cèpes. Brossez-les à l'aide d'un pinceau et d'un peu d'eau tiède, puis essuyez-les avec un papier absorbant. Parez-les et taillez les parures* en petits dés pour la réalisation du riz.

Gardez 4 cèpes et taillez-les en fines tranches.

01

Faites fondre la graisse de canard dans une cocotte.

Ajoutez la branche de thym, 2 gousses d'ail écrasées, et disposez debout les 8 cèpes restants de manière à ce qu'ils se tiennent entre eux.

02

Il est important de ne pas laver les cèpes à grande eau car ils sont spongieux et s'imbiberaient alors de liquide.

Faites confire les cèpes durant 30 min à feu doux, puis retirez-les du feu et laissez reposer encore 10 min. Retirez-les délicatement de la graisse et disposez sur une grille pour qu'ils s'égouttent.

Préparation des dentelles de parmesan

Pendant la cuisson des cèpes, mélangez le parmesan et la farine.
Saupoudrez ce mélange dans une poêle et laissez fondre jusqu'à obtenir un aspect de dentelle : celle-ci doit être blanche et croustillante.

Préparation du riz

Faites chauffer une cocotte avec un trait d'huile d'olive. Ciselez* l'oignon et faites-le suer* avec les parures de cèpes. Ajoutez le riz et faites-le nacrer* pendant 2 min, déglacez* avec le vin blanc et réduisez à sec*.

05

Mouillez* à hauteur avec le fond blanc chaud et faites cuire le riz pendant 18 min à feu modéré en ajoutant régulièrement du fond blanc. Finissez en liant le riz avec le parmesan râpé et le restant de beurre, puis ajoutez un trait d'huile d'olive bien mûre pour le faire briller.

06

Le fond blanc doit être chaud lorsque vous le versez sur le riz. Dans le cas contraire, il pourrait ralentir la cuisson du riz.

Taillez les cèpes confits en belles tranches. Faites chauffer un sautoir* avec un trait d'huile d'olive. Faites-y dorer les tranches de cèpes et la poitrine de porc, ajoutez une noisette de beurre et les gousses d'ail restantes. Une fois celles-ci bien dorées, assaisonnez avec la fleur de sel.

Dressage et finition
Dans une assiette plate, disposez le riz avec une cuillère sans le tasser.
Disposez dessus les tranches de cèpes rôties, intercalez les tranches de cèpes crues.
Disposez les dentelles de parmesan et ajoutez le jus de rôti chaud.

Lorsque vous remuez le riz avec le bouillon, tournez trois fois dans un sens et une fois dans l'autre pour que le riz cuise de manière homogène. C'est le choc entre les grains de riz qui fait que l'amidon se libère, d'où l'importance de remuer constamment.

COCOTTE LUTÉE
HOMARD, TRUFFE, LUMACONI

La cuisine a besoin de liberté. Je n'aime pas les dogmatismes qui figent la tradition en stérile répétition. Je n'aime pas davantage la confusion qui naît des mélanges chaotiques et approximatifs. Les beaux produits sont partout et le talent est la chose du monde la mieux répartie. Ce homard atlantique fait bon ménage avec la lumaconi méditerranéenne. La liberté, c'est d'organiser leur rencontre.

RECETTE

POUR **4** PERSONNES - préparation 40 min - cuisson 35 min

NOTE DU SOMMELIER
Un grand vin blanc de Bourgogne, par exemple un Corton-Charlemagne grand cru.

- ☐ 4 homards bretons de 500g
- ☐ 15 grains de poivre noir
- ☐ 1 branche de bois de fenouil
- ☐ 1/2 tête d'ail
- ☐ 10g de gros sel de mer
- ☐ 1 pièce d'anis étoilé
- ☐ 2 branches de thym

- ☐ 5cl d'huile d'olive pour cuisson
- ☐ 20g de beurre
- ☐ 1l de fumet de homard
- ☐ 100g de truffe noire
- ☐ 20 lumaconi
- ☐ 20 pétales de tomate confite
- ☐ Fleur de sel
- ☐ Poivre noir du moulin

PÂTE À LUTER
- ☐ 200g de farine T 45
- ☐ 3g de sel fin
- ☐ 80g de beurre pommade*
- ☐ 1 œuf entier
- ☐ 1 c. à c. de vinaigre de vin blanc
- ☐ 1 jaune d'œuf

- ☐ 150g de beurre pommade*
- ☐ 4 corails de homard
- ☐ 1/3 botte de basilic vert

Préparation et cuisson des homards
Faites chauffer une grande casserole d'eau, ajoutez le poivre en grains, le bois de fenouil, l'ail, le gros sel, l'anis étoilé et le thym. Faites cuire à feu doux pendant 10 min.

Séparez à la main les pinces et les coudes de la tête, puis la tête du corps des homards. Incorporez le long du dos des homards une aiguille à brider pour s'assurer qu'ils restent droits pendant leur cuisson.

À ébullition, plongez les pinces et les coudes durant 2 min, puis ajoutez les queues et laissez cuire encore 3 min. Mettez à refroidir immédiatement pour stopper la cuisson.

Dans cette recette, il ne faut pas ébouillanter les homards avec leur tête, car le corail doit rester cru.

Décortiquez les pinces et les coudes, puis, à l'aide d'un couteau d'office, retirez les parties coagulées. À l'aide d'une paire de ciseaux, retirez délicatement la membrane fine du dessous. Coupez en tronçons réguliers les queues et réservez-les* à température ambiante.

04

Faites chauffer une cocotte ovale avec un trait d'huile d'olive, puis saisissez* les pinces, les coudes et les tronçons de homard pendant 3 min. Finissez la cuisson avec une noisette de beurre.

Débarrassez les homards sur une grille. Retirez le gras de cuisson de la cocotte, puis déglacez* avec un peu de fumet de homard. Récupérez le jus et filtrez-le pour la suite de la recette.

Choisissez un homard femelle, avec les deux pattes derrière la tête souples, car elles ont plus de corail.

Taillez la truffe en bâtonnets. Dans une cocotte, faites-la revenir* avec du beurre et un trait d'huile d'olive pendant 2 à 3 min. Ajoutez les pâtes et faites-les revenir à feu doux. Mouillez avec le fond de homard restant et faites-les cuire à feux doux et à couvert jusqu'à ce qu'elles soient al dente puis glacez-les*.

07

Dressage et finition
Faites réduire* de moitié le jus de déglaçage des homards. Ajoutez les tomates confites, laissez cuire quelques secondes, puis finissez la liaison avec une pointe de beurre. Salez et poivrez, répartissez également les pâtes dans les cocottes, puis ajoutez le homard.

08

Préparation de la pâte à luter

Préchauffez le four à 180 °C (th. 6). Mélangez la farine et le sel, puis ajoutez 80 g de beurre, l'œuf, le vinaigre et mélangez de nouveau. Étalez la pâte en ruban d'une épaisseur de 2 mm, mouillez légèrement avec un peu d'eau pour qu'elle colle bien et scellez les cocottes.

Badigeonnez la pâte avec le jaune d'œuf au pinceau, puis enfournez durant 4 à 5 min.

Mélangez 150 g de beurre pommade avec le corail de homard afin d'obtenir une pâte lisse et homogène.

Laissez à température ambiante pour pouvoir bien mélanger au basilic.

Concassez les feuilles de basilic et liez* avec le beurre de corail. Servez le homard en cocotte.

La pâte à luter sert à sceller hermétiquement le couvercle d'une cocotte pour que les aliments cuisent dans leur propre jus, sans perte de saveur ni évaporation.

ROUGET DE ROCHE, POMME NOUVELLE, FLEUR ET RUBAN DE COURGETTE, TAPENADE

La cuisine, c'est le plaisir de tous les sens. Les cinq sens sont les guides les plus sûrs du cuisinier et les meilleurs indicateurs du plaisir des gastronomes. Regardez ce rouget tout frais ; il a pris sa délicate couleur rose pâle juste sorti de l'eau. Admirez l'arc en ciel de sa nageoire dorsale – noir, jaune orangé, blanc. Le noir violacé de la tapenade fait ressortir le vert vigoureux des rubans de courgette. Les odeurs arrivent à vos narines et vos papilles frémissent.

RECETTE

POUR **4** PERSONNES - préparation 35 min - cuisson 35 min

NOTE DU SOMMELIER
  Un vin rouge de Provence, par exemple un Bandol.

- ☐ 4 rougets de roche de
  Méditerranée de 120g
- ☐ 5cl d'huile d'olive pour
  cuisson
- ☐ 2 branches de marjolaine
- ☐ Sel
- ☐ Poivre noir du moulin

GARNITURE

- ☐ 2 courgettes vertes
- ☐ 4 fleurs de courgette
- ☐ 200g de pommes de terre
  nouvelles
- ☐ 5cl d'huile d'olive pour
  cuisson
- ☐ Gros sel de mer
- ☐ 5g de beurre
- ☐ 3 feuilles de sauge
- ☐ 15cl de fond blanc de
  volaille
- ☐ Poivre noir de moulin

TEMPURA

- ☐ 50g de farine blanche
- ☐ 10 cl d'eau froide
- ☐ 1l d'huile de pépins
  de raisin pour friture
- ☐ Sel
- ☐ Poivre noir du moulin

TAPENADE

- ☐ 250g d'olives taggiasche
- ☐ 2 filets d'anchois au sel
- ☐ 1 gousse d'ail rose
- ☐ 15cl d'huile d'olive pour
  assaisonnement
- ☐ 2cl de xérès
- ☐ 2 branches de marjolaine
- ☐ Poivre noir du moulin

Préparation et cuisson des rougets

Habillez* les rougets. Taillez la tête à l'aide d'un couteau. Par le ventre, levez les filets en prenant soin de ne pas les détacher de l'arête dorsale.

À l'aide de ciseaux, coupez l'arête dorsale à la base de la queue et retirez les arêtes. Ajoutez sur le filet quelques feuilles de marjolaine, salez et poivrez.

01

02

Faites chauffer une poêle avec l'huile d'olive. Faîtes dorez pendant 2 à 3 min, retournez délicatement le rouget, puis ajoutez une noisette de beurre et une branche de marjolaine. Arrosez régulièrement durant la cuisson. En fin de cuisson, débarrassez sur une grille.

03

Vous pouvez réaliser cette recette avec des filets de rouget levés par votre poissonnier.

Préparation des courgettes

Fendez en deux les fleurs de courgette et taillez-les à leur base. Réservez* les fleurs sous un linge humide. Faites des rubans de courgette à l'aide d'un économe.

Préparation des pommes de terre

Lavez les pommes de terre. Faites chauffer une cocotte avec un trait d'huile d'olive.
Taillez les pommes de terre en rondelles de 1 cm d'épaisseur. Arrondissez les angles avec la pointe d'un couteau. Faites revenir* les pommes, et une fois bien dorées, salez-les. Retournez-les, puis ajoutez une noisette de beurre et une feuille de sauge. Baissez le feu, puis mouillez à mi-hauteur avec le fond blanc. Faites cuire à couvert et finissez en les glaçant*.

Poêlez les rubans de courgette avec de l'huile d'olive aromatisée d'une feuille de sauge, mouillez avec 2 c. à s. de fond blanc et finissez la cuisson à couvert. Glacez-les* en fin de cuisson.

06

Préparation de la tempura*

Mélangez la farine avec l'eau très froide pour obtenir un appareil nappant. Cinglez-le*. Badigeonnez la fleur côté intérieur avec la tempura au pinceau, puis faites-la frire à 140 °C. Une fois celle-ci bien croustillante, placez-la sur un papier absorbant, puis salez et poivrez.

07

Pour faire frire les fleurs de courgette (ou autres…) au four à micro-ondes, tendez une feuille de film alimentaire, badigeonnez la fleur de courgette d'huile d'olive et retendez une feuille de film alimentaire par-dessus. Faites cuire 1 à 2 min à puissance maximum puis faites sécher.

Préparation de la tapenade au mortier

Dessalez les anchois 5 min à l'eau claire. Dans un mortier, placez la gousse d'ail dégermée, ajoutez les anchois. Pilez, ajoutez au fur et à mesure les olives dénoyautées jusqu'à obtenir une pâte. Montez* cette pâte avec l'huile d'olive. Ajoutez un trait de vinaigre et un tour de moulin à poivre. Ajoutez les feuilles de marjolaine à la fin.

08

Dressage et finition

Dans une assiette plate, disposez les rondelles de pommes de terre, intercalez les rubans de courgette. Placez un rouget, un peu de tapenade et la fleur de courgette en tempura pour le volume. Servez à part l'excédant de tapenade.

09

LANGOUSTINES
ROYALES RÔTIES
Légumes croquants de nos maraîchers en marinade

La cuisine est un long apprentissage. Je ne suis pas né méditerranéen ; je le suis devenu. Ma rencontre avec la cuisine provençale s'est faite avec Roger Vergé, d'abord au « Moulin de Mougins » en 1977 puis, trois ans plus tard, à « L'Amandier » et enfin à « La Terrasse », le restaurant de l'hôtel Juana, à Juan-les-Pins. C'est là que j'ai servi pour la première fois ces grosses langoustines rôties.

RECETTE

Pour 4 personnes - Préparation 35 min - Cuisson 25 min

Note du sommelier
Un vin blanc de Bourgogne, par exemple un Saint-Aubin premier cru.
Un champagne blanc de noir.

☐ 4 langoustines royales
☐ 5cl d'huile d'olive de
  cuisson
☐ 1/4 de botte de cerfeuil

GARNITURE

☐ 4 tomates grappe
☐ 100g de haricots verts
  extra fins
☐ 12 asperges
☐ 100g de girolles moyennes
☐ 4 artichauts poivrade
☐ 200g de févettes
☐ Fleur de sel

VINAIGRETTE

☐ 5cl d'huile d'olive pour
  assaisonnement
☐ 3cl de jus de truffe
☐ Le jus de 1 citron

CITRON CONFIT

☐ 2 citrons de Menton
☐ 1 morceau de sucre
  cassonade

Préparation et cuisson des langoustines

Séparez la tête des corps des langoustines.

Décortiquez les corps en gardant les deux derniers anneaux et la queue.

Taillez la queue à l'aide de ciseaux.

Insérez une brochette en bois le long du dos des langoustines.

01

Dans un sautoir*, faites chauffer l'huile d'olive et saisissez* les queues de langoustine côté dos pendant 4 ou 5 min. Faites-les cuire à l'unilatérale pendant toute leur cuisson. Ajoutez une noisette de beurre en fin de cuisson et arrosez-en régulièrement les queues.

Disposez les queues en les retournant sur une grille.

Laissez refroidir à température ambiante.

02

Utilisez les têtes des langoustines pour faire une soupe ou un bouillon.

Préparation des légumes

Mondez* les tomates, puis coupez-les en quartiers. Épépinez-les à l'aide d'un couteau d'office et détaillez-les en dés réguliers, puis égouttez-les et réservez*. Écossez les févettes.
Équeutez les haricots verts en gardant la pointe, puis faites-les cuire à l'anglaise* et refroidissez-les dans un bain d'eau glacée. Réservez.

Écussonnez* les pointes d'asperge.
Détaillez les asperges en biseau en prenant soin de garder les pointes.
Grattez les girolles, lavez-les dans un bain d'eau tiède 4 à 5 fois, puis réservez-les sur un linge sec.
Tournez* les artichauts poivrade, puis coupez-les avec la tige en quartiers. Réservez-les dans un bain d'eau froide additionnée d'une pointe d'acide ascorbique pour éviter qu'ils s'oxydent.

Préparation de la vinaigrette
Mélangez tous les ingrédients dans un bol, puis rectifiez l'assaisonnement et laissez mariner pendant au moins 10 min.

05

Préparation et cuisson du citron confit
À l'aide d'un économe, pelez les citrons, retirez complètement la partie blanche, jetez-la et taillez le zeste en julienne*. Pressez les citrons pour en extraire le jus, filtrez-le et ajoutez le morceau de sucre.
Blanchissez* le zeste, puis faites-le confire dans le jus de citron sucré.
Une fois réduit à sec, réservez à température ambiante.

06

Choisissez des citrons bio ou de Menton, ils ne sont pas traités et vous pouvez donc utiliser la peau. Si vous n'en trouvez pas, frottez bien les citrons puis lavez-les.

Placez tous les légumes crus dans un saladier et mélangez-les avec la vinaigrette. Rectifiez l'assaisonnement si nécessaire.

Préchauffez le four à 180 °C (th. 6).
Finissez la cuisson des langoustines sur une grille au four durant 3 à 4 min.
Dressez les légumes à plat en donnant du relief, disposez la queue de langoustine au centre.
Disposez des pluches de cerfeuil, puis la julienne de citron confit sur le dessus des langoustines.

POITRINE DE PIGEONNEAU GRILLÉE, POMMES DE TERRE AU THYM, SAUCE SALMIS

La cuisine, c'est un terroir. La cuisine est une merveilleuse façon d'accéder à une vérité humaine. Dans chaque coin du monde, la cuisine met en relation les hommes et les femmes avec la nature, elle tisse des liens entre le passé et le présent et entre les générations. C'est une autre façon de parler sa langue et de faire vivre sa culture. Cette poitrine de pigeonneau est une recette du début de l'automne qui évoque une face peu connue de la Provence, un pays de montagne, rude – le pays de Pagnol et de Giono.

RECETTE

POUR 4 PERSONNES - Préparation 25 min - Cuisson 55 min

NOTE DU SOMMELIER
Un grand vin rouge du Languedoc.

PIGEONNEAUX

- ❏ 2 pigeonneaux étouffés de 600 g chacun
- ❏ 4 très fines tranches de lard de Colonnata
- ❏ 4 feuilles de sauge
- ❏ Sel fin
- ❏ Poivre blanc moulu
- ❏ Fleur de sel

FOIE GRAS

- ❏ 4 escalopes de foie gras de canard cru de 50 g chacune

POMMES DE TERRE

- ❏ 12 pommes de terre nouvelles de 50 g chacune
- ❏ 1 l d'huile d'olive de cuisson

- ❏ 1/2 tête d'ail
- ❏ 1 branche de thym
- ❏ 2 g de gros sel
- ❏ Poivre noir en grains

BEURRE DE THYM

- ❏ 12 cl de fond blanc
- ❏ 1 branche de thym
- ❏ 25 g de beurre

SAUCE SALMIS

- ❏ 8 cl de jus de pigeon
- ❏ 2 branches de persil plat
- ❏ 2 branches de cerfeuil
- ❏ 3 brins de ciboulette
- ❏ 1 c. à s. de vinaigre de xérès

Habillez* les pigeons : flambez-les, coupez les pattes et la tête puis videz-les. Réservez* à part les cœurs et les foies. Coupez les cuisses.

Levez sur coffre : retirez la carcasse au niveau du dos à l'aide de petits ciseaux.

01

02

Décollez la peau de la poitrine et passez le lard et la sauge en dessous.
Tirez la peau du cou et passez-la côté dos.
Positionnez les ailerons de manière à faire tenir la peau.

03

Les carcasses des pigeonneaux et les cuisses vous serviront à réaliser le jus de pigeon dont la recette est donnée p. 97.
Vous pouvez demander à votre boucher les pigeons préparés : habillés, vidés, levés sur coffre.

Faites confire les pommes de terre dans l'huile aromatisée de la 1/2 tête d'ail, d'1 branche de thym, du gros sel et de grains de poivre.

Coupez les pommes de terre en rondelles. Huilez-les. Faites-les griller en les faisant pivoter d'un quart de tour pour obtenir un quadrillage.

Badigeonnez les poitrines de pigeonneaux de l'huile aromatisée. Salez et poivrez. Chauffez un gril et faites griller les poitrines 15 min en les retournant de temps en temps pour une cuisson rosée. Laissez reposer sur une grille. Faites griller les escalopes de foie gras très froides pendant quelques secondes. Faites attention, la cuisson est très rapide.

06

Vous pouvez caler les pigeonneaux sur une demi-pomme de terre crue.

Préparation de la sauce salmis

Hachez les cœurs et les foies très fin, hachez les herbes. Chauffez le jus de pigeon dans une sauteuse*, puis liez* avec le hachis de cœur et de foie. Faites infuser* les herbes hors du feu 10 min. Ajoutez le vinaigre.

07

Préparation du beurre de thym

Dans une casserole, faites réduire* le fond blanc aux deux tiers.
Ajoutez le thym et montez* avec le beurre très froid coupé en petits morceaux.

08

Sachez que le foie et le cœur font partie intégrante de la sauce salmis.

Découpez les pigeonneaux : entaillez en longeant l'os avec un couteau désosseur,
puis coupez de chaque côté en veillant à ce que la lame soit bien collée à l'os.

Déposez les pommes de terre enduites de beurre de thym, le foie gras, puis les pigeonneaux
sur des assiettes. Versez 2 c. à s. de sauce. Salez à la fleur de sel et poivrez.

CÔTE DE VEAU DE LAIT,
JEUNES LÉGUMES FONDANTS À L'AIL NOUVEAU

La cuisine, c'est la générosité. La cuisine a plus de goût lorsqu'elle est partagée. Elle se vit à plusieurs, avec allégresse. Pour se régaler, il faut une belle table, des amis assis autour et une conversation animée. Voici un plat abondant et majestueux qu'on sera fier de poser sur la table et qu'on sera heureux de partager. J'aime ces plats vigoureux qui incarnent bien la signification profonde d'un repas : la convivialité.

RECETTE

Pour 2 personnes - Préparation 35 min - Cuisson 1 h 05

Note du sommelier
  Un vin rouge de Bourgogne, par exemple un Volnay. Un vin rouge de Loire centrale, par exemple un Chinon.

- ❑ 1 double côte de veau
     de 1,2 kg
- ❑ 5 cl d'huile d'olive
- ❑ 20 g de beurre
- ❑ 5 feuilles de sauge
- ❑ 2 gousse d'ail
- ❑ 25 cl de fond blanc de
     volaille
- ❑ 8 cl de jus de veau

GARNITURE
- ❑ 100 g de pois gourmands
- ❑ 8 carotte fanes
- ❑ 12 cébettes
- ❑ 12 pommes de terre
     nouvelles grenaille
     de Noirmoutier
- ❑ 8 gousses d'ail nouveau

- ❑ 1/3 botte de persil plat
- ❑ 80 g de parmesan
     Reggiano râpé
- ❑ Gros sel
- ❑ Poivre noir du moulin
- ❑ Fleur de sel

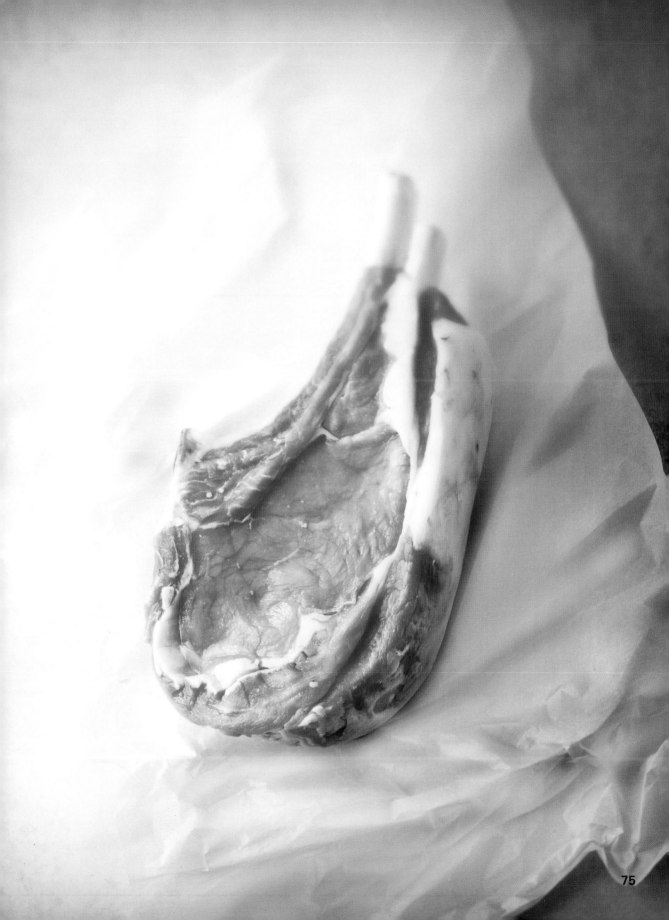

Demandez à votre boucher de préparer la viande : faites parer la double côte et retirer la première épaisseur. Faites-la manchonner sur 4 cm de longueur et ficeler. Faites tailler les parures* et les os en morceaux.

Faites chauffer une cocotte avec un trait huile d'olive. Salez la côte et faites-la dorer sur les deux faces. Faites rôtir la tranche, baissez le feu et ajoutez une noisette de beurre, 1 gousse d'ail éclatée et 3 feuilles de sauge.

01

02

Préchauffez le four à 160 °C (th. 6). Finissez la cuisson de la côte au four, à découvert, en l'arrosant très régulièrement. Retirez-la lorsque la température à cœur est de 56 °C, débarrassez sur une grille, enlevez les ficelles et laissez reposer 15 min. Retournez la côte toutes les 5 min pour permettre au jus de circuler correctement à l'intérieur de la viande.

03

Adaptez la taille de votre cocotte à la viande, cela sera plus pratique et assurera une meilleure cuisson.

Préparation du jus

Utilisez la cocotte qui a servi à cuire le veau, dégraissez-la complètement. Versez un trait d'huile d'olive, puis faites rôtir les parures de veau jusqu'à ce qu'elles soient bien colorées. Détachez bien les sucs à l'aide d'une cuillère. Baissez le feu et mouillez à hauteur des parures avec le fond blanc froid.

Portez à ébullition et écumez. Ajoutez les feuilles de sauge restantes et 1 gousse d'ail éclatée. Faites cuire à feu doux. Faites réduire* la sauce jusqu'à ce qu'elle devienne sirupeuse, puis remouillez à hauteur avec du fond blanc. Faites réduire aux deux tiers. Ajoutez le jus de veau et portez à consistance, la sauce doit être sirupeuse. Versez le tout dans une passoire, puis filtrez dans un chinois étamine*. Réservez* dans une petite casserole.

Le beurre monte vite en température et noircit à 120 °C. C'est pourquoi il est délicat à manier et doit être surveillé tout au long de la cuisson de la côte de veau.

Équeutez les pois gourmands, puis faites-les cuire à l'anglaise*.
Lavez et tournez* les carottes en prenant soin de garder la fane, puis détaillez-les en tronçons réguliers. Réservez-les. Lavez et ébarbez* les cébettes, puis coupez la partie verte aux deux tiers. Grattez les pommes grenaille au gros sel pour retirer les peaux mortes, rincez-les bien, coupez-les en deux et réservez-les.

06

Dans une cocotte, faites chauffer un trait d'huile d'olive. Saisissez* les carottes. Ajoutez les grenailles et saisissez-les. Ajoutez une noisette de beurre et salez une fois les pommes colorées, ajoutez l'ail, les cébettes et laissez cuire quelques minutes.

Ajoutez le persil. Avec un couteau, sondez les carottes pour vérifier qu'elles soient fondantes. Dès lors, ajoutez les pois gourmands, déglacez* la cocotte de légumes avec 1 c. à s. de fond blanc et glacez-les*.

Vous pouvez éplucher et couper les légumes à l'avance. Dans ce cas, enveloppez-les dans une feuille de papier absorbant humidifiée pour éviter qu'ils ne se dessèchent.

Dressage et finition

Disposez les légumes à l'intérieur d'un cercle, en leur donnant du volume.
Saupoudrez de parmesan et faites légèrement gratiner la surface au gril du four.

Préchauffez le four à 180 °C (th. 6) et faites réchauffer la pièce de veau pendant 5 min.
Chauffez le jus à feu doux.
Fendez la côte de veau en deux dans la longueur et posez un morceau de viande
sur les légumes, face dorée sur le dessus. Lustrez la viande avec un peu de jus.

Lorsque vous utilisez une planche à découper en bois, huilez-la de temps à autre avec de l'huile de pépins de raisin : elle sera ainsi imperméabilisée.

BABA AU RHUM

La cuisine est tradition, voici l'un de ses symboles. Pour un gourmand, le simple fait de prononcer ce mot « Baba au rhum » évoque un avant-goût de ce qu'il peut y avoir de plus savoureux, moelleux et parfumé, gorgé de sirop et fondant à souhait, bref, un moment de plaisir parfait. À le voir ainsi lustré de son nappage à l'abricot, prêt à recevoir son ultime onction de rhum vieux, il m'apparaît comme un petit chef-d'œuvre de bon goût, que l'on accompagne avec bonheur d'une crème vanillée. C'est mon dessert parmi les desserts, présent sur mes tables de Monaco, au Louis XV. Je l'ai créé en souvenir de ce dessert servi au mariage du roi Louis XV avec la princesse Marie Leszczynska de Pologne.

Pour 10 babas - préparation 35 min - cuisson 45 min

Note du sommelier

N'hésitez pas à remplacer le Rhum par de l'Armagnac.

PÂTE À BABA

- ❑ 6 g de levure boulangère
- ❑ 130 g de farine
- ❑ 1 g de sel
- ❑ 6 g de miel
- ❑ 45 g de beurre
- ❑ 3 œufs (180 g)
- ❑ 10 cl d'huile de pépin de raisin

SIROP À BABA

- ❑ 1 l d'eau
- ❑ 450 g de sucre
- ❑ Le zeste de 1 citron
- ❑ Le zeste de 1 orange
- ❑ 1 gousse de vanille déjà utilisée (sans les grains)

NAPPAGE ABRICOT

- ❑ 125 g de pulpe d'abricot
- ❑ 125 g de sirop à baba
- ❑ 4 g de pectine NH
- ❑ 75 g de sucre semoule

CRÈME MONTÉE MOELLEUSE

- ❑ 250 g de crème fleurette
- ❑ Les grains d'1 gousse de vanille
- ❑ 25 g de sucre semoule

- ❑ Rhum

Préparation de la pâte à baba Mélangez dans la cuve d'un batteur la levure et la farine puis ajoutez le sel, le miel, le beurre et 1 œuf. Pétrissez jusqu'à obtenir une pâte lisse, brillante et élastique. Quand la pâte se décolle de la cuve, ajoutez petit à petit le reste des œufs et finissez de pétrir.

Placez la pâte sur une plaque légèrement huilée. Filmez et laissez reposer 20 min.

01

02

Préparation du sirop à baba
Faites bouillir tous les ingrédients et laissez tiédir.

03

La pectine NH est un gélifiant naturel contenu dans la peau et les pépins des fruits. Vous la trouverez en pharmacie, ou en grande surface sous le nom Vitpris d'Alsa®.

Préparation du nappage abricot

Faites chauffer jusqu'à 40 °C la pulpe d'abricot et le sirop, puis ajoutez le sucre et la pectine mélangés. Faites bouillir quelques minutes et laissez refroidir.

04

Huilez légèrement des moules à bouchon de 5 cm de diamètre. Garnissez-les avec 30 g de pâte et tapez-les pour chasser les bulles d'air. Laissez pousser* jusqu'à hauteur de moule, la pâte doit être bien gonflée.

Préchauffez le four à 180 °C (th. 6) puis enfournez jusqu'à belle coloration.

05

06

La cuisson des babas prend environ 25 à 30 min. Cependant, comme ces temps de cuisson peuvent varier d'un four à l'autre, fiez-vous à leur coloration.

Trempez les babas dans le sirop juste tiède pour ne pas abîmer la pâte,
laissez-les gonfler, puis placez-les sur une grille afin qu'ils s'égouttent.

07

À l'aide d'un pinceau, nappez les babas avec la gelée abricot
et gardez-les à température ambiante.

08

L'huile de pépin de raisin est une huile sans odeur qui supporte des températures élevées.
Elle est donc idéale pour les fritures (voir p. 54) ou pour graisser vos moules.

Préparation de la crème montée moelleuse
Montez* tous les ingrédients ensemble : la crème doit être légère et mousseuse.

Déposez le baba dans une assiette creuse. Coupez-le en deux, puis arrosez la mie de rhum. Servez la crème à part dans un pot.

FRAISES DES BOIS DANS UN JUS TIÈDE, SORBET MASCARPONE

La cuisine a besoin des producteurs. Que ferait le cuisinier sans les éleveurs et les maraîchers, les pêcheurs qui rentrent au matin et les ramasseurs de champignons, infatigables ? Le producteur et le cuisinier vivent en symbiose parfaite. Je me souviens encore de ces fraises des bois qui arrivaient le matin au Louis XV. C'étaient de véritables petits morceaux de sous-bois qui étaient posés précautionneusement sur la table, des diamants dans des écrins de terre et de feuilles.

RECETTE

POUR 4 PERSONNES · préparation 15 min · cuisson 1 h 05 min

NOTE DU SOMMELIER

Un Pineau-des-Charentes rosé.

Une bulle de l'Ain, un Bugey-Cerdon rosé.

☐ 500 g de fraises des bois

SORBET

☐ 35 cl d'eau
☐ 200 g de sucre semoule

☐ 1 citron non traité
☐ 125 g de mascarpone
☐ 125 g de fromage blanc (à
 20 % ou à 0 % de matière
 grasse)

JUS TIÈDE
(À faire la veille)

☐ 500 g de fraises
☐ 70 g de sucre

La veille, placez le bol de la turbine à glace au congélateur. Lavez et équeutez les fraises. Mettez-les dans un récipient avec 70 g de sucre et filmez. Laissez reposer 24 h au réfrigérateur.

Faites cuire les fraises 1 h au bain-marie en laissant le film alimentaire. Laissez-les s'égoutter 15 min dans un chinois*, sans appuyer dessus pour obtenir un jus, et non un coulis.

01

02

Zestez, puis pressez le citron.

Préparez un sirop : faites bouillir l'eau et le sucre. Laissez refroidir et ajoutez le jus et le zeste de citron. Mélangez le fromage blanc et le mascarpone. Versez dans le sirop et mélangez de nouveau au fouet, jusqu'à ce que la consistance soit homogène.

03

04

Avant de presser un citron, roulez-le sur un plan de travail en appuyant fort avec la main : cela permet de casser les alvéoles à l'intérieur du citron et facilite l'extraction du jus une fois que le citron est coupé en deux.

Versez la préparation dans une sorbetière ou une turbine à glace et mettez en marche.
Le sorbet obtenu doit être ferme et crémeux.

Posez les fraises des bois à plat au fond des assiettes, et versez un peu de jus.
Raclez le sorbet avec une cuillère pour former une quenelle. Chauffez le dessous de la
cuillère avec la paume de la main, puis déposez la quenelle sur les fraises. Servez le jus
à part et nappez au moment de servir.

Pour éviter qu'une croûte se forme sur le sorbet, placez un film alimentaire au contact de celui-ci si
vous le mettez au congélateur.

GLOSSAIRE

GLOS
SAIRE

BEURRE POMMADE
Beurre à température ambiante travaillé pour qu'il soit lisse et souple.

BLANCHIR
Plonger rapidement un produit dans de l'eau bouillante.

BRUNOISE
Couper un aliment en petits dés. Cela permet d'obtenir une cuisson homogène.

CHINOIS
Passoire métallique en forme de cône (il doit son nom à sa forme qui rappelle celle d'un chapeau chinois). La partie filtrante du chinois est une toile métallique très fine.

CISELER
Couper finement en petits cubes des échalotes, des oignons ou des herbes.

CINGLER
Déposer un plat dans un autre contenant des glaçons afin de le refroidir rapidement.

CUIRE À L'ANGLAISE
Cuire des ingrédients dans de l'eau bouillante salée.

DÉCANTER
Débarrasser une casserole de son contenu.

DÉGLACER
Verser un liquide afin de dissoudre les sucs caramélisés au fond de l'ustensile de cuisson.

ÉBARBER
Supprimer, avec une paire de ciseaux, les petits poils de la queue d'un homard, d'une langoustine, d'une écrevisse, d'un poireau, etc ; ou bien les nageoires d'un poisson.

ÉCUSSONNER
Ôter les petites feuilles sur la tige des asperges.

ÉMINCER
Tailler en tranches, en rondelles ou en lamelles plus ou moins minces, au couteau ou avec une mandoline.

GLACER
Enrober de jus en fin de cuisson.

HABILLER
Préparer un poisson ou une volaille pour sa cuisson.
Pour le poisson : ébarber, écailler, vider, laver.
Pour une volaille : flamber, parer, vider et brider.

INFUSER (FAIRE)
Faire macérer un élément aromatique dans un liquide chaud, à couvert, afin que celui-ci se charge de ses arômes.

JULIENNE (COUPER EN)
Couper un aliment en bâtonnets très fin.

LIER
Epaissir un jus ou une sauce.

M

MATIGNON
Légumes taillés en petits dés, puis mijotés.

MONDER
Retirer la peau d'un produit après l'avoir ébouillanté.

MONTER
Fouetter un élément ou une préparation afin d'y incorporer de l'air et d'augmenter ainsi son volume.

N

NACRER
Faire revenir du riz dans de la matière grasse jusqu'à ce qu'il devienne transparent.

P

PARURES
Parties restant après avoir préparé une viande (l'excédent de graisse, les nerfs, etc.) ou un légume et qui sont réutilisables pour une autre préparation.

POUSSER (LAISSER)
Laisser lever une pâte.

R

RÉDUIRE
Cuire à découvert pour diminuer le volume d'un liquide de cuisson.

RÉSERVER
Mettre de côté des ingrédients ou une préparation qui seront utilisés ultérieurement.

REVENIR (FAIRE)
Faire colorer un aliment dans un corps gras très chaud et à feu vif.

S

SAISIR
Démarrer vivement la cuisson d'un aliment.

SAUTEUSE
Ustensile de cuisson rond à bords assez hauts et légèrement évasés. elle sert à faire suer des aliments.

SAUTOIR
Ustensile de cuisson rond à bords assez courts et verticaux. Il est souvent utilisé pour saisir des aliments.

SUER (FAIRE)
Soumettre un aliment à une chaleur douce, dans un corps gras, afin d'éliminer une partie de son eau.

T

TEMPURA
Préparation japonaise servant à la friture.

TOURNER
Donner une forme régulière à certains légumes et fruits.

RECETTES DE BASE

BOUILLON DE LÉGUMES

- ❒ 500 g de parures de légumes (voir p. 28)
- ❒ 5 cl d'huile d'olive
- ❒ 10 g de gros sel
- ❒ Quelques grains de poivre blanc
- ❒ 1 branche de thym
- ❒ 1 branche de basilic

Émincez grossièrement les parures de légumes. Dans une casserole, chauffez l'huile d'olive et faites suer tous les légumes. Mouillez avec 2 l d'eau et laissez cuire à frémissement pendant 30 min. Assaisonnez avec le gros sel et le poivre blanc, puis ajoutez les herbes. Filtrez le bouillon puis passez-le au chinois étamine.

FUMET DE HOMARD

Pour 1,2 l de fumet de homard
- ❒ 4 têtes de homards
- ❒ 60 g de fenouil bulbe
- ❒ 50 g d'oignon blanc
- ❒ 1 gousse d'ail
- ❒ 200 g de tomates
- ❒ 3 cl d'huile de pépins de raisin
- ❒ 80 g de beurre
- ❒ 15 g de concentré de tomate
- ❒ 4 cl de Cognac
- ❒ 12 cl de vin blanc
- ❒ Sel fin
- ❒ Quelques grains de poivre noir

Lavez les légumes. Émincez le fenouil et l'oignon, écrasez la gousse d'ail entière et coupez les tomates en quartiers. Concassez les têtes de homards. Faites chauffer l'huile dans une cocotte et faites-y suer les têtes. Ajoutez le beurre et faites-les caraméliser. Mettez le fenouil, l'oignon, l'ail et faites suer 5 min. Ajoutez les tomates et le concentré de tomate et laissez cuire 3 min. Déglacez avec le Cognac et le vin blanc. Laissez réduire jusqu'à obtenir un jus épais et brillant, puis recouvrez de 1,5 l d'eau. Assaisonnez de sel et de poivre, puis laissez cuire 30 min. Éteignez le feu. Filtrez le fumet à l'aide d'un chinois en pressant sur les têtes de homards.

FOND BLANC

Pour 2 l de fond blanc
- ❒ 1 kg de carcasses de volaille
- ❒ 4 grains de poivre blanc
- ❒ 1 cube de bouillon de volaille
- ❒ 5 g de gros sel

Garniture aromatique
- ❒ 1 oignon blanc
- ❒ 2 carottes
- ❒ 1 petite branche de céleri
- ❒ 50 g de pieds de champignons de Paris
- ❒ 3 queues de persil
- ❒ 1 brin de thym
- ❒ 1 demi-feuille de laurier

Lavez, épluchez et émincez tous les légumes de la garniture aromatique. Enfermez les grains de poivre dans une gaze et ficelez. Parez les carcasses de volaille de toutes les parties graisseuses et sanguinolentes en les lavant abondamment sous l'eau courante. Mettez-les dans une grande cocotte, couvrez-les d'eau froide et portez à ébullition sur feu vif. À ébullition, éteignez le feu et passez les carcasses sous l'eau froide courante afin d'éliminer toutes les impuretés. Rincez la cocotte. Mettez à nouveau les carcasses dans la cocotte, couvrez de 2,5 l d'eau et portez à ébullition.

FOND BLANC (SUITE)

Ajoutez alors la garniture aromatique, le cube de bouillon, le gros sel et le poivre dans la gaze. Laissez cuire de 1 h 30 à 2 h en écumant régulièrement pour enlever les impuretés. Au terme de la cuisson, filtrez le fond blanc à l'aide d'un chinois, puis laissez-le refroidir.

JUS DE PIGEON

Pour 20 cl de jus de pigeon
- ❏ 800 g de carcasses de pigeon
- ❏ 2 cl d'huile de pépins de raisin
- ❏ 30 g de beurre
- ❏ 3 gousses d'ail
- ❏ 2 échalotes
- ❏ 8 cl de vin rouge
- ❏ 1 l de fond blanc

Coupez les carcasses de pigeon en petits morceaux réguliers et les échalotes en rondelles. Faites chauffer l'huile dans une cocotte et faites-y rissoler les morceaux de carcasse sans cesser de remuer pendant 15 à 20 min sur feu moyen, jusqu'à ce qu'ils aient pris une coloration uniforme. Surveillez bien la cuisson : si les carcasses brunissent trop, elles donneront un goût amer au jus. Égouttez-les dans une grande passoire. Dégraissez la cocotte, puis mettez-la sur feu vif avec le beurre, l'ail, les échalotes et les carcasses. Laissez suer pendant 5 min sans cessez de remuer afin d'empêcher les sucs de coller et de brûler. Déglacez avec le vin rouge et laissez réduire à sec. Mouillez avec 50 cl de fond blanc et laissez réduire jusqu'à obtenir un jus épais et brillant. Enrobez bien tous les morceaux avec le jus et recommencez avec le reste de fond blanc. Laissez cuire à feu doux et à découvert pendant 35 à 40 min, jusqu'à obtenir un jus clair un peu épais.

JUS DE PIGEON (SUITE)

Éteignez le feu, puis filtrez à l'aide d'un chinois. Débarrassez le jus sirupeux avec la graisse dans une barquette (elle peut servir de couvercle au jus en durcissant et aussi de liant lors de son utilisation).

RECETTES DE BASE

JUS D'UN RÔTI

Pour 15 à 20 cl
Pour la base
- ❏ 2 kg de parures de viande (veau, bœuf…)
- ❏ 1 oignon de 80 g
- ❏ 100 g de beurre
- ❏ 1 gousse d'ail
- ❏ 1,5 l de fond blanc de volaille

Pour le jus
- ❏ 500 g de parures de viande (veau, bœuf…)
- ❏ 50 g de beurre
- ❏ 2 échalotes
- ❏ 1 gousse d'ail
- ❏ 1 branche de thym
- ❏ 10 g de poivre en grains
- ❏ 15 cl de fond blanc de volaille
- ❏ 1 l de base de jus de veau
- ❏ Huile d'olive
- ❏ Sel
- ❏ Poivre du moulin

La base du jus de rôti

Coupez la viande en cubes de 4 x 4 cm environ. Épluchez et coupez l'oignon en quatre. Dans une cocotte, chauffez un filet d'huile d'olive. Faites-y revenir la viande et les os jusqu'à ce qu'ils soient bien colorés. Ajoutez le beurre, l'oignon et la gousse d'ail écrasée. Baissez le feu et terminez de colorer doucement sans les faire brûler. Dégraissez la cocotte. Déglacez et réduisez en trois fois avec du fond blanc. Mouillez avec le reste du fond. Faites cuire doucement pendant 3 h. Versez le contenu de la cocotte dans une grande passoire.

JUS D'UN RÔTI (SUITE)

Passez la base de jus recueillie au chinois. Refroidissez. Réservez au frais.

Le jus de rôti

Coupez les parures de viande en cubes de 4 x 4 cm environ. Épluchez les échalotes. Taillez-les en rondelles de 8 mm. Dans une cocotte huilée, colorez la viande jusqu'à ce qu'il soit blond. Ajoutez 30 g de beurre, l'échalote, la gousse d'ail écrasée, le thym, le poivre et une pincée de sel. Faites cuire doucement pendant 10 à 15 min. Dégraissez la cocotte. Mouillez et faites réduire en trois fois avec le fond blanc. Versez la base de jus de rôti. Faites cuire pendant 1 h à 1 h 15 jusqu'à ce que le jus soit bien nappant. Débarrassez dans une passoire. Filtrez le jus recueilli au chinois étamine. Incorporez 20 g de beurre, poivrez. Refroidissez et réservez au frais.

SAUCE SALMIS

- ❏ Les cœurs et les foies de 2 pigeons
- ❏ 8 cl de jus de pigeon
- ❏ 2 branches de persil plat
- ❏ 2 branches de cerfeuil
- ❏ 3 brins de ciboulette
- ❏ 1 c. à s. de vinaigre de xérès

Hachez les cœurs et les foies très fin. Chauffez le jus de pigeon dans une sauteuse et liez avec le hachis. Hachez les herbes et faites-les infuser hors du feu 10 min. Ajoutez le vinaigre et servez.

PÂTE À LUTER

- ❏ 200g de farine type 45
- ❏ 3g de sel fin
- ❏ 80g de beurre pommade*
- ❏ 1 œuf entier
- ❏ 1 c. à c. de vinaigre de vin blanc
- ❏ 1 jaune d'œuf

Mélangez la farine et le sel, puis ajoutez le beurre, l'œuf, le vinaigre et mélangez de nouveau. Formez une boule, puis étalez-la en ruban de 2mm d'épaisseur. Mouillez avec un peu d'eau, puis collez la pâte sur le récipient que vous voulez luter. Badigeonnez avec le jaune d'œuf et enfournez.

TAPENADE

- ❏ 250g d'olives taggiasche
- ❏ 1 gousse d'ail rose
- ❏ 2 filets d'anchois au sel
- ❏ 15cl d'huile d'olive pour assaisonnement
- ❏ 2cl de vinaigre de xérès
- ❏ 2 branches de marjolaine
- ❏ Poivre noir du moulin

Dans un mortier, ajoutez la gousse d'ail dégermée, les deux filets d'anchois dessalés pendant 5 min à l'eau claire. Pilez et ajoutez les olives dénoyautées jusqu'à ce que vous obteniez une pâte. Montez avec l'huile d'olive, puis ajoutez le vinaigre de xérès, un peu de poivre et les feuilles de marjolaine.

CARNET D'ADRESSES
ALAIN DUCASSE WWW.ALAIN-DUCASSE.COM

RESTAURANT LE MEURICE ALAIN DUCASSE - HÔTEL LE MEURICE, PARIS

PARIS

**RESTAURANT LE MEURICE
ALAIN DUCASSE
HÔTEL LE MEURICE**
228, RUE DE RIVOLI
75001 PARIS
TÉL. +33 (0)1 44 58 10 55

**ALAIN DUCASSE
AU PLAZA ATHÉNÉE**
25, AVENUE MONTAIGNE
75008 PARIS
TÉL. +33 (0)1 53 67 65 00

MONACO

**LE LOUIS XV ALAIN DUCASSE
HÔTEL DE PARIS**
PLACE DU CASINO
98000 MONACO
TÉL. +377 98 06 88 64

LONDRES

**ALAIN DUCASSE
AT THE DORCHESTER
THE DORCHESTER**
PARK LANE
LONDON W1K 1QA
TEL. +44 (0)20 7629 8866

ALAIN DUCASSE AU PLAZA ATHÉNÉE, PARIS

LE LOUIS XV - ALAIN DUCASSE, MONACO

ALAIN DUCASSE AT THE DORCHESTER, LONDRES

LE JULES VERNE, PARIS

ÉCOLE DE CUISINE ALAIN DUCASSE, PARIS

PARIS

LE JULES VERNE
TOUR EIFFEL
AVENUE GUSTAVE EIFFEL
75007 PARIS
TÉL. +33 (0)1 45 55 61 44

LE RELAIS PLAZA
HÔTEL PLAZA ATHÉNÉE
21, AVENUE MONTAIGNE
75008 PARIS
TÉL. +33 (0)1 53 67 64 00

LA COUR JARDIN
HÔTEL PLAZA ATHÉNÉE
25, AVENUE MONTAIGNE
75008 PARIS
TÉL. +33 (0)1 53 67 66 02

LE DALÍ
HÔTEL LE MEURICE
228 RUE DE RIVOLI, 75001 PARIS
TÉL. +33 (0)1 44 58 10 44

BENOIT
20, RUE SAINT MARTIN
75004 PARIS
TÉL. +33 (0)1 42 72 25 76

AUX LYONNAIS
32, RUE SAINT MARC
75002 PARIS
TÉL. +33 (0)1 42 96 65 04

RECH
62, AVENUE DES TERNES
75017 PARIS
TÉL. +33 (0)1 45 72 29 47

ALLARD
41, RUE SAINT ANDRÉ
DES ARTS
75006 PARIS
TÉL. +33 (0)1 43 26 48 23

LE CHOCOLAT ALAIN DUCASSE
MANUFACTURE À PARIS
40, RUE DE LA ROQUETTE
75011 PARIS
TÉL. +33 (0)1 48 05 82 86

LE CHOCOLAT ALAIN DUCASSE
MANUFACTURE À PARIS
GALERIES LAFAYETTE MAISON
REZ-DE-CHAUSSEE
35, BOULEVARD HAUSSMANN
75009 PARIS
TÉL. +33 (0)1 42 65 48 26

ÉCOLE DE CUISINE
ALAIN DUCASSE
64, RUE DU RANELAGH
75016 PARIS
TÉL. +33 (0)1 44 90 91 00

COMPTOIR LE CHOCOLAT
ALAIN DUCASSE
26, RUE SAINT-BENOÎT
75006 PARIS
TÉL. +33 (0)1 45 48 87 89

COMPTOIR LE CHOCOLAT
ALAIN DUCASSE
9, RUE DU MARCHÉ-SAINT-HONORÉ
75001 PARIS
OUVERTURE EN MARS 2016

RECH, PARIS

LE CHOCOLAT ALAIN DUCASSE, PARIS

ALLARD, PARIS

AUX LYONNAIS, PARIS

CARNET D'ADRESSES
ALAIN DUCASSE

WWW.ALAIN-DUCASSE.COM

MOUSTIERS
SAINTE MARIE

**LA BASTIDE
DE MOUSTIERS**
CHEMIN DE QUINSON
04360 MOUSTIERS
SAINTE MARIE
TÉL. +33 (0)4 92 70 47 47

LA CELLE EN PROVENCE

**HOSTELLERIE DE
L'ABBAYE DE LA CELLE**
10, PLACE DU GÉNÉRAL
DE GAULLE
83170 LA CELLE
EN PROVENCE
TÉL. +33 (0)4 98 05 14 14

SAINT TROPEZ

**RIVEA AT BYBLOS
HÔTEL BYBLOS**
20, AVENUE MARÉCHAL
FOCH
83990 SAINT TROPEZ
TÉL. +33 (0)4 94 56 68 20

MONACO

**LA TRATTORIA
SPORTING
MONTE-CARLO**
AVENUE PRINCESSE
GRACE
98000 MONACO
TÉL. +377 98 06 71 71

DOHA

IDAM
MUSEE DES ARTS ISLAMIQUES,
P.O. BOX 2777, DOHA
TÉL. +974 4422 4488

L'HOSTELLERIE DE L'ABBAYE DE LA CELLE,
LA CELLE EN PROVENCE

LA BASTIDE DE MOUSTIERS,
MOUSTIERS-SAINTE-MARIE

L'HOSTELLERIE DE L'ABBAYE DE LA CELLE, LA CELLE EN PROVENCE

RIVEA LONDON, LONDRES

SPOON BY ALAIN DUCASSE, HONG KONG

BEIGE ALAIN DUCASSE, TOKYO

BENOIT, NEW YORK

BEIGE ALAIN DUCASSE, TOKYO

LONDRES

RIVEA LONDON
BULGARI HOTEL, LONDON
171 KNIGHTSBRIDGE,
LONDON SW7 1DW
TÉL. +44 (0)207 151 1025

NEW YORK

BENOIT
60 WEST 55TH STREET
NEW YORK, NY 10019
TÉL. +1 (646) 943 7373

LAS VEGAS

RIVEA LAS VEGAS
DELANO LAS VEGAS
3950 LAS VEGAS
BOULEVARD SOUTH
LAS VEGAS, NV 89119
TÉL. +1 (702) 632 9500

HONG KONG

**SPOON
BY ALAIN DUCASSE**
INTERCONTINENTAL
HONG-KONG,
18 SALISBURY ROAD,
KOWLOON, HONG KONG
TÉL. +852 23 13 22 56

TOKYO

BEIGE ALAIN DUCASSE
GINZA CHANEL BUILDING
L0F
3-5-3 GINZA, CHUO·KU,
104-0061 TOKYO
TÉL. + 81 (3) 5159 5500

BENOIT
LA PORTE AOYAMA 10F,
5-51-8 JINGUMAE
SHIBUYA-KU,
150-0001 TOKYO
TÉL. + 81 (3) 6419 4181

*TROIS NOUVELLES
ADRESSES S'AJOUTERONT
EN 2016 : CHAMPEAUX
(LES HALLES, PARIS),
ALAIN DUCASSE
À VERSAILLES – ORE
(CHÂTEAU DE VERSAILLES)
ET MIX IN DUBAÏ.*

INDEX DES PRODUITS

BENOIT WITZ

Chef depuis plus de vingt ans, Benoît Witz intègre en 1987
Le Louis XV d'Alain Ducasse à Monaco. En 1996, il devient
chef de La Bastide de Moustiers, puis de l'Hostellerie de
l'Abbaye de La Celle. Parallèlement, il donne des cours de
cuisine et est l'auteur de plusieurs livres de recettes.

CHRISTIAN JULLIARD

Aux côtés d'Alain Ducasse depuis 1992, Christian Julliard,
« chef voyageur », à participé à de nombreuses ouvertures
de restaurants et a fait ses classes au Louis XV.
Chef corporate du groupe Alain Ducasse depuis 2006, il
dispense en tant que tel son savoir-faire et sa philosophie
de la cuisine : le respect du produit et la simplicité.

DIRECTEUR DE COLLECTION
Alain Ducasse

DIRECTRICE
Aurore Charoy

RESPONSABLE ÉDITORIALE
Alice Gouget

ASSISTANTE ÉDITORIALE
Églantine André-Lefébure

PHOTOGRAPHIES
Valéry Guedes et Pierre Monetta (couverture et p. 2 à 5)

DIRECTION ARTISTIQUE
Pierre Tachon

CONCEPTION GRAPHIQUE
Soins graphiques
Merci à Sophie

RÉALISATION DES RECETTES
Christian Julliard et Benoit Witz
Un grand merci à Franck Geuffroy

NOTES DU SOMMELIER
Gérard Margeon et Guillem Kerambrun

PHOTOGRAVURE
Nord Compo

RELECTURE
Karine Elsener

RESPONSABLE MARKETING ET COMMUNICATION
Camille Gonnet
camille.gonnet@alain-ducasse.com

Imprimé en CE
ISBN 978-2-84123-385-4
Dépôt légal, 4e semestre 2011

© Alain Ducasse Édition 2016
2, rue Paul Vaillant Couturier
92300 Levallois-Perret
www.alain-ducasse.com/fr/les-livres